BOEVENVRIENDJES

Nigel Hinton

BOEVENVRIENDJES

VERTALING
Margot van Hummel

facet

Antwerpen
2004

Voor Wes Stace en Alan Tunbridge
met dank voor alle hulp en aanmoedigingen

CIP GEGEVENS KONINKLIJKE BIBLIOTHEEK - DEN HAAG
C.I.P. KONINKLIJKE BIBLIOTHEEK ALBERT I

Hinton, Nigel

Boevenvriendjes / Nigel Hinton [vertaald uit het Engels
door Margot van Hummel] – Antwerpen: Facet, 2004
Oorspronkelijke titel: Partners in Crime
Oorspronkelijke uitgave: Barrington Stoke Ltd.
ISBN 90 5016 416 1
Trefw.: Jeugdcriminaliteit, ruzie, vriendschap
NUR 284

Wettelijk depot D/2004/4587/3
Omslagontwerp: Facet/Digital Vision
Copyright © 2003 by Nigel Hinton
Copyright © Nederlandse vertaling: Facet nv

Eerste druk februari 2004

Voorwoord

Het idee voor dit verhaal ontstond tijdens het luisteren naar een oud liedje over een man die zijn vrouw
met een andere man in bed vindt. Het was een
gewelddadig en dramatisch liedje en het bleef maar in
mijn hoofd hangen. Ik probeerde me een pijn en een
haat voor te stellen die zo diep ging dat iemand
erdoor aan het moorden sloeg.

Ineens kreeg ik een paar jongens voor ogen die
elkaar van de lagere school kenden. Ik dacht aan wat
er tussen vrienden allemaal fout kan gaan, het elkaar
nodig hebben, jaloezie, machtsstrijd, liefde en liefdes-
verdriet. Ik stelde me voor hoe de jongens opgroei-
den, samen terechtkwamen in een harde, smerige

wereld maar toch plezier hadden, geld verdienden, meisjes tegenkwamen. En toen dacht ik: stel, er is een meisje, niet een zoals alle anderen...

INHOUD

1

De waarheid

'DRUGSBENDE MOORDT ELKAAR UIT' stond met grote letters in de *Evening Star*.

Televisie- en krantenverslaggevers, de politie, het publiek, iedereen was ervan overtuigd dat een oorlog tussen drugsdealers de oorzaak was van de moorden.

Ze hadden het allemaal bij het verkeerde eind.

Er is maar één persoon die weet hoe het echt in elkaar zat. Ik, Perry Grant.

De moorden hadden helemaal niets met drugs te maken. Zoals het liedje al zegt: 'Liefde is het antwoord'. Bloed werd vergoten en mensen stierven, en dat allemaal om liefde. Liefde en wraak.

2

Je gaat eraan!

'Liefde is het Antwoord' was de nummer 1-hit in het jaar dat Toddie, Marco en ik elkaar voor het eerst tegenkwamen.

Toddie was dat jaar uitgeroepen tot beste leerling van de vijfdeklassers van de Heeton Junior School. Natuurlijk was hij de beste. Toddie was altijd de beste, waar hij ook was.

Marco en ik waren nieuwelingen op school. Ik kwam daar omdat mijn moeder had besloten bij mijn vader weg te gaan en terug te keren naar de plaats waar ze was geboren. Ik ging met haar mee.

Ik wist dat ze dat eigenlijk liever niet had. 'Kinderen verpesten je leven,' vertelde ze iedereen die het maar wilde horen. Maar zelfs zij kon me niet bij mijn vader achterlaten. Hij was een gemene vent die altijd dronk en mij en mijn moeder alle hoeken van de kamer liet zien.

Het was vreemd – ik vond het verschrikkelijk met mijn vader onder één dak te wonen, maar toen we verhuisd waren, begon ik hem te missen. Ik droomde vaak over hem en als ik dan wakker werd, voelde ik me altijd bedroefd. Nog steeds, trouwens.

Marco was naar Heeton Junior gegaan omdat de school het dichtst bij Stone House lag, een tehuis van de Kinderbescherming.

Marco's vader en moeder waren Italianen. Ze waren naar Engeland gekomen om een Italiaans restaurant te beginnen. Tijdens een zomer lieten ze Marco achter bij zijn tante en gingen terug naar Italië voor een vakantie. Hun vliegtuig stortte neer in de Alpen en ze kwamen om het leven.

Marco was toen acht. Hij woonde een tijdje bij zijn tante in Leeds, maar die had zelf kinderen en toen hij tien was, vond ze dat ze niet meer voor hem kon zorgen. Ze vroeg de Kinderbescherming om hulp en Marco werd in Stone House geplaatst.

Marco was een kleine, rustige jongen die in de klas amper zijn mond opendeed. Tijdens de pauze stond hij altijd alleen aan de rand van het plein, en deed nooit mee met spelletjes.

Op een dag tegen het einde van het eerste trimester begon James Cole, een pestkop uit het zesde, op Marco in te hakken. Het ging eigenlijk nergens over. Marco was in de gang toevallig tegen hem aangelopen. Cole duwde daarop Marco tegen de muur en stompte hem in zijn maag. Marco viel op de grond en Cole trapte hem.

Marco probeerde overeind te komen, maar Cole bleef trappen. Ditmaal stond Marco niet op. Hij bleef kreunend liggen terwijl de tranen over zijn gezicht liepen.

Toen deed Toddie een stap naar voren. Hij pakte Cole vast en draaide zijn arm om achter zijn rug. Hij sprak zacht, maar ik stond zo dichtbij dat ik kon horen wat hij zei.

'Als je hem nog één keer aan durft te raken, nu of later, dan ga je eraan,' siste Toddie hem toe. 'Begrepen?'

James Cole was groot en sterk, maar Toddie was nog groter en nog sterker. Zelfs de kinderen van het zesde wisten dat Toddie was uitgeroepen tot beste van alle vijfdeklassers, en ze waren bang voor hem.

'Begrepen?' vroeg Toddie opnieuw, en hij rukte aan Coles arm.

'Ja, ja – begrepen!' krijste Cole.

Toddie gaf nog een ruk aan Coles arm en liet hem toen los. Cole rende de gang uit.

Toddie hielp Marco overeind.

Weer stond ik zo dichtbij dat ik kon horen wat Toddie fluisterde: 'Laat hem niet zien dat je huilt.'

Marco knikte en veegde vlug zijn tranen weg.

Toddie liep naar onze klas en we liepen allemaal achter hem aan.

Vanaf die dag was Toddie Marco's held. Marco liet het niet merken, maar ik zag het. Ik zorg er altijd voor dat ik zo veel mogelijk dingen zie. Je weet nooit waar het goed voor is.

Ik wist hoe Marco zich voelde, want Toddie was ook *mijn* held. Hij was groot en sterk, het tegenovergestelde van mij. Ik was wel bang voor hem, maar voelde me ook tot hem aangetrokken. Ik wilde zijn zoals hij.

3

De huiswerkclub

Na het zesde jaar gingen de meeste kinderen uit onze klas naar het James Lint College, maar Toddie besloot naar de Cranston High School te gaan. Marco en ik dus ook.

In het eerste trimester had Toddie het driemaal behoorlijk aan de stok gehad met een stel oudere jongens. Hij had telkens gewonnen en was al snel de beste van de eerstejaarsen. Alle andere stoere jongens stonden altijd om hem heen.

Marco en ik waren niet echt stoer, dus Toddie zag ons niet staan totdat we aan het einde van het jaar ons rapport kregen. Marco had voor ieder vak de hoogste punten gehaald, behalve voor wiskunde en tekenen. Daar had ik weer de beste punten voor.

Op de dag voor de zomervakantie zag ik Toddie op het speelplein op Marco aflopen, dus ging ik dichterbij staan zodat ik kon horen wat hij zei.

'Hé knappe kop!' riep Toddie lachend. 'Hoe heb je dat klaargespeeld? De hoogste punten voor alles!'

Marco kreeg een kleur en grijnsde.

'En ik dan?' wilde ik roepen. 'Ik was de beste in wiskunde en tekenen. Niet hij.' Maar ik zei niets.

'Ik kan volgend jaar misschien wel wat hulp gebruiken,' ging Toddie verder. 'Je weet wel, dat ik eerst even kijk hoe jij jouw huiswerk hebt gemaakt voordat ik aan het mijne begin. Afgesproken?'

Marco reageerde cool, dacht even na alsof hij niet meteen kon beslissen, en knikte toen. 'Oké, goed dan.'

Het volgende trimester stond iedere leerkracht versteld van de vorderingen in Toddies werk. Tot meneer Forbes op een dag ontdekte wat er aan de hand was.

'Wat vreemd, Todd,' zei meneer Forbes terwijl hij Toddies huiswerk omhooghield. 'Je hebt precies dezelfde antwoorden als Marco. Hoe zou dat nu komen?'

'Kweenie,' mompelde Toddie.

'Ik wel. Je hebt de zaak belazerd.'

'Nee, meneer.'

'Lieg niet tegen me, Todd. Ga maar naar de directeur.'

'Het was Toddie niet,' zei Marco, 'maar ik. Ik heb gevraagd of ik zijn werk mocht overschrijven.'

Meneer Forbes wist dat dit niet waar was, maar hij kon er niets tegen doen. Marco bleef bij zijn verhaal en dus kreeg hij de straf.

'Ik mag je wel!' zei Toddie terwijl hij na de les zijn arm om Marco's schouders sloeg. 'Ik sta bij je in het krijt.'

'Het is al goed,' zei Marco.

'Behalve dat ik nu weer snertpunten ga halen,' mopperde Toddie.

'Niet als je nou eens ophoudt nog langer zo'n luie donder te zijn!' zei Marco.

Toddie lachte. Alleen Marco mocht zoiets tegen hem zeggen.

'Weet je wat,' ging Marco verder, 'als we nu eens na

school samen ons huiswerk maken. Dan kan ik alles aan je uitleggen en dan hoef jij niets meer van me over te schrijven.'

Toddie keek eerst verbaasd bij het idee, maar daarna knikte hij. 'Ja, waarom eigenlijk niet?'

Dus gingen Marco en Toddie iedere middag na school naar de bibliotheek om daar een uur te werken. Marco noemde het *De Huiswerkclub*. Ik barstte van jaloezie en vroeg iedere keer of ik er ook bij mocht komen.

'Ik kan jullie met wiskunde helpen,' zei ik op een dag tegen hen. 'Toe, alsjeblieft, pa.'

Ze barstten in lachen uit. Ik voelde me voor schut staan, maar mijn domme fout haalde hen over de streep. Eindelijk zeiden ze dan toch ja, en voortaan maakte ik mijn huiswerk met hen.

Het grappige was dat Toddie niet alleen betere punten kreeg, hij had nog plezier in het huiswerk maken ook. Een keer zag een jongen ons in de bibliotheek bezig met ons werk en noemde ons studjes. Toddie stond op en gaf hem een klap recht in zijn gezicht. Daarna noemde niemand ons meer studje.

Toddie was de bink van de school en wij waren zijn

handlangers. Marco was daarbij zijn kroonprins. Ik was meer de trouwe hond die hen overal volgde. Ik wist hoe het in elkaar zat. Marco en Toddie waren echte vrienden. Ik hing er zomaar bij. Maar ik wist dat mijn tijd zou komen.

4

Geheimzinnig geld

'Waarom heb je ons niets gezegd?' zei Toddie toen hij erachter kwam dat Marco die dag vijftien werd.

'Daar heb ik niet aan gedacht.'

'Hoe kun je nu je eigen verjaardag vergeten?' vroeg Toddie.

'In Stone House wordt nooit veel aan verjaardagen gedaan, daarom misschien,' legde Marco uit.

'Maar dan hadden we je toch een kaart of zo kunnen sturen, nietwaar Perry?' zei Toddie.

Ik knikte.

'Je wordt niet iedere dag vijftien,' ging Toddie verder. 'Vooruit. Dat moeten we vieren.'

'En ons huiswerk dan?' vroeg Marco.

'Dat kan vanavond nog,' zei Toddie. 'We gaan het vieren. Ik trakteer.'

We gingen naar de Burger King en Toddie betaalde. Toen kocht hij een paar blikjes bier en we gingen naar het park om ze op te drinken.

'Waarom zit je nog steeds in Stone House, Marco?' vroeg Toddie toen we op de trappen van de kiosk gingen zitten en keken naar een paar kleine kinderen die aan het voetballen waren. 'Proberen ze je niet te laten adopteren of onder te brengen in een pleeggezin of zo, bedoel ik.'

'Dat wel, maar ik blijf zeggen dat ik dat niet wil.'

'Waarom niet?' vroeg Toddie.

'Dat mijn vader en moeder dood zijn, wil nog niet zeggen dat ik wil dat vreemden zich met mijn leven gaan bemoeien.'

'Dat moet beter zijn dan in een tehuis zitten,' zei Toddie.

'Nee!' reageerde Marco fel en ik zag tranen in zijn ogen komen. 'Ik hou van mijn vader en mijn moeder en niemand zal ooit hun plaats innemen, nooit.'

'Ik weet wat Marco bedoelt,' zei ik. 'Mijn moeder

heeft een nieuwe vriend. Ik haat hem en ik wil niet dat hij net doet alsof hij mijn vader is. Niks ervan!'

Marco keek me aan en glimlachte en plotseling had ik het gevoel dat we elkaar begrepen. Het was bijna alsof we echte vrienden waren.

'Nou, proost dan,' zei Toddie en tikte met zijn blikje tegen dat van ons. 'Gefeliciteerd, makker. Weet je wat, als ik zelf een huisje heb, dan ga je daar maar weg en kom je bij mij wonen. Dan nodigen we een heleboel grieten uit en maken er een dolle boel van.'

Ik denk niet dat Marco geloofde dat Toddie binnenkort geld genoeg zou hebben om op eigen benen te staan, maar *ik* geloofde dat wel. Er was me iets opgevallen. Toddie bulkte altijd van het geld. Toen hij zijn portemonnee pakte om de hamburgers te betalen, had ik een pak bankbiljetten zien zitten. Toddie kwam niet uit een rijk gezin. Hij had vijf broers en zussen en zijn moeder had een slecht betaalde baan. Dus waar kwam het geld dan vandaan?

Ik besloot om dat uit te zoeken.

5

Toddies geheim

Het duurde niet lang voordat ik erachter was hoe het kwam dat Toddie zoveel geld had. Ik hoefde hem alleen maar goed in de gaten te houden.

Op een vrijdagavond ging hij rond negen uur weg van huis en ik volgde hem. Hij liep een flatgebouw binnen en ik dook weg in de schaduw en wachtte. Twintig minuten later kwam hij naar buiten. Voordat hij verderging richting centrum, keek hij eerst nauwlettend om zich heen.

De drie uren die daarop volgden, bleef hij in een steegje staan naast een club met de naam *De Zevende*

Hemel. Ik keek toe vanuit een donker portiek aan de overkant van de straat. Het was de populairste club van de stad en veel bezoekers gingen eerst even bij Toddie langs voordat ze naar binnen gingen. De neonreclame verlichtte het straatje en in de rode, blauwe en groene lichtflitsen kon ik Toddie en zijn klanten zien staan. Ze gaven hem geld en in ruil daarvoor gaf hij hun kleine pakjes. Je hoefde geen genie te zijn om te raden wat daarin zat.

Ik kende nu Toddies geheim en ik wist dat die kennis me nog wel eens van pas zou komen.

De hele week dacht ik diep na en eindelijk had ik een plan. Eerst controleerde ik het steegje naast *De Zevende Hemel.* Aan het einde stond een schutting en het zou niet moeilijk zijn om eroverheen te klimmen. Mooi, er was een ontsnappingsroute.

De vrijdag daarop volgde ik Toddie weer van zijn huis naar het flatgebouw en vervolgens naar het steegje bij *De Zevende Hemel.* Op het moment dat hij zijn eerste klanten kreeg, rende ik naar de telefooncel en belde de politie.

'Hallo,' zei ik. 'In het straatje bij *De Zevende Hemel* zijn ze aan het vechten. Volgens mij is er iemand gewond – alles zit onder het bloed. U kunt maar beter vlug komen!'

Nog voordat ze de kans kregen iets te vragen, had ik de hoorn er al op gesmeten. Toen rende ik terug naar het steegje. Toddie gaf net een pakje aan een klant.

'Ha, die Toddie!' zei ik.

Terwijl Toddie zich vliegensvlug naar me omdraaide, flitste het groene licht van de neonreclame over zijn angstige gezicht.

'Perry!' zei hij, terwijl hij het pakje achter zijn rug verborg. 'Wat doe jij hier?'

'Ik kwam voorbij en toen zag ik je. Wat ben je aan het doen?'

'O, niks bijzonders,' loog Toddie. 'Ik wou hier naar binnen gaan.'

'Hé zeg, waar blijven mijn pillen?' zei de klant. 'Vooruit, waar zijn ze?'

Toddie had geen keus. Hij haalde zijn hand achter zijn rug vandaan en gaf het pakje. De klant liep weg.

'Toddie, handel jij...?' zei ik, terwijl ik hem met grote, onschuldige ogen aankeek. 'Handel jij in...?'

'Perry, donder op! En vergeet dat je me hier ooit hebt gezien, begrepen?' waarschuwde Toddie. 'Donder op, zei ik!'

24

Ik draaide me om en liep weg, en bleef toen staan alsof me nog iets te binnen was geschoten.

'Toddie, luister,' zei ik, terwijl ik vlug terugliep. 'Toen ik daarnet voorbij de *Manhattan Club* kwam, zag ik dat de politie iemand arresteerde. Misschien houden ze vanavond nog wel meer controles.'

Terwijl Toddie het nog even op zich in moest laten werken, kwamen er nog een paar klanten door het steegje op ons af.

'Ik ga wel op de uitkijk staan, terwijl jij deze twee helpt, afgesproken?' zei ik vlug.

Toddie knikte.

Ik rende naar het begin van de steeg en keek de straat in. Nog geen politiewagen te zien. Ik hoopte dat ze snel zouden komen.

Toddie had net zijn klanten geholpen toen ik aan het einde van de straat een blauw zwaailicht zag. Daar was de politie.

'Daar zijn ze!' riep ik.

Toddie kwam mijn kant uit rennen.

'Niet die kant uit, daar is het te laat voor,' zei ik terwijl ik hem vastgreep en terugtrok het steegje in.

Toen we bij de schutting waren, sprong de politie

uit de auto en kwam achter ons aan. We klommen op de schutting, lieten ons aan de andere kant vallen en renden het park door. Toen we achteromkeken, was er geen smeris te bekennen – ze hadden de achtervolging opgegeven.

'Bedankt, Perry,' zei Toddie, terwijl hij hijgend tegen een boom leunde.

'Het is al goed.'

'Nee, ik meen het. Bedankt.'

'Daar zijn vrienden voor,' zei ik.

Toddie glimlachte en knikte.

Ik grijnsde. Ik was geaccepteerd door Toddie. En ik zou ervoor zorgen dat dit zo bleef.

6

Vier gemaskerde mannen

Vanaf die tijd hielp ik Toddie op vrijdag- en zaterdag-
avond. In het begin stond ik alleen op de uitkijk om
te zien of er geen politie aankwam, maar al snel be-
heerde ik al het geld.

Met al zijn broers en zusjes om zich heen kon Toddie het geld nergens verbergen, dus zorgde ik ervoor.
Mijn moeder was meestal met haar vriend weg en ze
kwam trouwens toch nooit op mijn kamer, dus daar
lag het veilig. Ik stopte het geld in een doos en verborg deze onder de vloerplanken. En ik hield keu-
rig bij hoeveel we verdienden en hoeveel we moes-

ten betalen. Mijn wiskunde kwam me zo goed van pas.

'Je hebt Marco hier toch zeker niets over verteld, hè?' vroeg Toddie me op een dag.

'Hoezo? Vertrouw je hem niet?'

'Doe niet zo gek, hij is mijn beste vriend. Natuurlijk vertrouw ik hem, alleen... Nou ja, hij is niet zoals jij en ik. Hij heeft klasse.'

'Hij is een wees, Toddie. Hij woont in zo'n stom kindertehuis. Noem je dat klasse?'

'Ja, maar... hij heeft iets. Je kent toch die verhaaltjes wel over arme kinderen die een prins blijken te zijn of zoiets? Nou, zo iemand is hij.'

'Ja hoor, prins Marco,' zei ik spottend.

Toddie keek me kwaad aan.

'Nee, ik weet wat je bedoelt,' zei ik vlug. 'Hij heeft iets speciaals.'

Om eerlijk te zijn, moest zelfs ik toegeven dat Marco wel degelijk iets speciaals had. Met zijn donkere ogen en donkere krullen en sexy glimlach zag hij er goed uit en alle meisjes waren dan ook stapelgek op hem. Maar dat niet alleen, hij was cool. Hij leefde in zijn eigen wereldje. Hij deed geen moeite om ergens bij te horen of ervoor te zorgen dat mensen hem aardig vonden. Toddie had gelijk, Marco had klasse.

'Hoe dan ook,' zei Toddie, 'ik wil niet dat hij dit te weten komt.'

Dus vertelden we niets aan Marco. We gingen gewoon door met drugs dealen en het geld stroomde binnen. Het duurde niet lang of er lagen vijf volle dozen bij mij onder de vloerplanken.

'Hoor eens, Toddie, we moeten het op de bank zetten,' zei ik op een dag.

'Je bent gek, dan willen ze weten waar we het vandaan hebben.'

'Niet als we het op een aantal verschillende rekeningen zetten. Laat het nou maar aan mij over. Ik regel het wel, dat beloof ik je.'

En ik regelde het ook. Ik sprak met mensen en las er veel over en zo kwam ik erachter hoe je het beste geld kon verbergen op verschillende rekeningen. Toddie was onder de indruk. Hij was zelfs nog meer onder de indruk van mijn volgende idee.

'Ik heb eens nagedacht,' zei ik op een avond toen we buiten *De Zevende Hemel* stonden. 'Die kerel waar je dat spul van koopt, die in de flat woont.'

'Leroy? Wat is daarmee?'

'Waar haalt hij dat spul vandaan?'

'Van een paar kerels in Essex,' zei Toddie.

'Wat zou er gebeuren als we nu eens niet naar Leroy gingen, maar rechtstreeks naar die kerels in Essex?'

'Dan zou Leroy daar niet blij mee zijn.'

'Zitten we daar dan mee?' vroeg ik.

Toddie dacht er even over na en begon toen te lachen. 'Wat ben je toch een uitgekookt ventje,' zei hij en sloeg zijn arm rond mijn schouders. Ik groeide helemaal.

Drie weken later kregen we onze spullen rechtstreeks van de kerels uit Essex. Leroy was er niet blij mee.

Op een avond kwam hij bij Toddie binnenvallen. Toddies moeder was niet thuis, maar zijn jongere broers en zussen wel. Ze renden hun slaapkamer in om zich te verstoppen terwijl Leroy tegen Toddie schreeuwde en dreigde hem te vermoorden. Hij sloeg de televisie en een paar ramen aan diggelen totdat Toddie erin slaagde hem het huis uit te werken.

Toen Leroy de volgende dag uit zijn flat naar buiten kwam, stonden er vier gemaskerde mannen hem op te wachten. Hij probeerde weg te rennen, maar de mannen kregen hem te pakken en braken allebei zijn benen.

Toddie stuurde hem een kaart in het ziekenhuis met *Beterschap* erop.

7

Die vreemde blik

Aan het einde van de vierde klas gingen Toddie en ik van school, en Marco bleef omdat hij eerst zijn diploma wilde halen. We zagen hem natuurlijk nog wel vaak en om de paar maanden nam Toddie hem mee om nieuwe kleren te kopen.

'In dat tehuis laten ze je voor schut lopen. Ik wil niet dat mijn maat erbij loopt als een sukkel,' zei Toddie.

'Dat weet ik, maar ik kan toch geen geld van je blijven aannemen,' zei Marco.

'Nou moet je eens goed luisteren, we hebben alleen

elkaar maar. Jouw ouders zijn dood. Perry's moeder geeft geen donder om hem. En die moeder van mij wil alleen maar weten waar de volgende fles drank vandaan komt. We zijn familie, jij en ik en Perry. We kunnen elkaar vertrouwen. Het is een voor allen, en allen voor een, begrepen? Begrepen?'

'Begrepen,' zei Marco. 'Maar waar heb je al dat geld vandaan?'

'Dat heb ik je toch verteld, Perry en ik zitten in de handel.'

'De handel van wat?'

'O, computeronderdelen, antiek, van alles. En de zaken lopen uitstekend. Kom, nog een paar boodschappen en dan gaan we de kroeg in.'

Het volgende jaar bouwden Toddie en ik onze zaak op. We deden het goed. Toddie deed het zelfs heel goed, tachtig procent van de winst stak hij in zijn eigen zak. Het was niet eerlijk, maar ik ging er geen ruzie om maken. Ik verdiende nog steeds meer dan ik elders zou kunnen verdienen.

We verdienden zelfs zoveel dat Toddie op zijn zeventiende genoeg had om een huis te kopen. En ik regelde het allemaal. Het was geen groot huis en het lag ook niet in het beste deel van de stad, maar het was van hem.

Zoals afgesproken was het eerste wat Toddie deed Marco vragen of hij bij hem kwam wonen. 'Je bent zeventien, je kunt daar weg en morgen bij me in trekken,' zei hij.

'Bedankt Toddie, maar nog niet,' zei Marco.

'Waarom niet? Dat is hartstikke lachen!'

'Daarom juist, want dan doe ik niks meer. Ik wil echt mijn diploma halen.'

'Mij best,' zei Toddie, en hij keek teleurgesteld. 'Maar zodra de examens achter de rug zijn, trek je hier in, afgesproken?'

'Oké.'

'Afgesproken?'

'Afgesproken,' zei Marco lachend.

'Maar ik kan wel bij je komen wonen, Toddie,' zei ik.

'Dat denk ik niet, Perry. Het is hier maar klein. Misschien als ik een groter huis heb.'

'Ja, maar als je plek voor Marco...' begon ik, maar toen ik die vreemde blik in Toddies ogen zag, zweeg ik.

Ik kende die blik. Die vreemde blik. Die betekende: geen commentaar. Die betekende ook: kop dicht. Ik had die blik al vaker gezien. En ook wat er gebeurde als mensen die negeerden. Ik had gezien dat Toddie zo hard op ze inbeukte dat ze smeekten om genade.

'Gesnopen?' vroeg hij, en de vreemde blik begon al wat te vervagen. Ik glimlachte en knikte, maar ik kon wel janken.

'Er komt een dag,' dacht ik. 'Er komt een dag dat je er spijt van zult hebben.'

8

Het grote geld

We maakten het helemaal.

We stonden niet langer zelf meer in de kou en de regen bij de clubs, maar huurden jonge gastjes in om de drugs voor ons te verkopen. Eén van die nieuwe kereltjes probeerde ons te belazeren, maar via mijn klanten hoorde ik al snel waar hij mee bezig was.

Toddie ging daarom even bij hem langs. Toen die knul weer in staat was om te praten, vertelde hij wat Toddie had gedaan en daarna heeft niemand meer geprobeerd ons te bedonderen.

Ik begon de financiële pagina's in de krant te lezen

en zonder het Toddie te vertellen nam ik wat geld bij de bank op en investeerde dat in aandelen. Hij was woest toen hij hoorde wat ik had gedaan, maar toen ik hem de winst liet zien, kalmeerde hij al snel. 'Zie ik het goed?' zei hij. 'Dat het geld in drie maanden tijd verdubbeld is?'

'Je weet wat er gezegd wordt, niet de bankrovers verdienen het grote geld, maar de mensen van de bank zelf. Laten we een beleggingsmaatschappij beginnen. Een legaal bedrijf waar we ons drugsgeld in kunnen onderbrengen!'

Toddie dacht er een paar dagen over na en ging toen akkoord. 'Het is een uitstekend idee. Marco kan het leiden. Als hij van school komt, zal hij een baantje nodig hebben.'

'Maar het is mijn idee,' zei ik. 'Marco weet niets van geld.'

'Hij kan het leren,' zei Toddie. 'En jij kunt het echte werk achter de schermen doen. Hij is alleen maar degene die het contact met de klanten onderhoudt. Je weet wat een charmeur hij is. De mensen zullen niet weten hoe snel ze hun geld aan hem moeten geven.'

Ik was blij dat Marco helemaal niet zo enthousiast over het idee was.

'Ik wil verderstuderen,' vertelde hij aan Toddie. 'Misschien ga ik naar de universiteit.'

'Universiteit? Dat kun je niet maken!' zei Toddie. 'Je zei dat je bij mij zou intrekken.'

'Dat weet ik, maar alle leraren rekenen erop dat...'

'Leraren! Wat weten die nu?' sneerde Toddie. 'Je kunt best naar zo'n stomme universiteit gaan en dan toch nog zonder een cent eindigen. Zoals veel studenten.'

'Dat weet ik, maar...'

'Je hebt het beloofd! Je zei dat je uit Stone House zou weggaan en bij mij zou komen wonen.'

Toddie begon kwaad te worden. Ik zag die blik weer in zijn ogen. Maar Marco was de enige die niet bang was voor die blik. Hij legde vriendelijk zijn hand op Toddies schouder en de vreemde blik verdween.

'Toe, Marco, we zijn toch familie,' zei Toddie, nu bijna smekend. 'Het zal geweldig worden. We noemen het Marco Beleggingen. Je eigen zaak op je achttiende, bedenk eens hoe trots je vader en je moeder zouden zijn geweest.'

Het was een gewiekste kerel, die Toddie. Hij noemde dat ene waaraan Marco geen weerstand kon bieden: zijn ouders.

'Ja, goed dan,' zei Marco.

Een brede glimlach van opluchting verscheen op Toddies gezicht, zo opgelucht was hij en ik kreeg bijna met hem te doen.

Hij hield van Marco. Ik bedoel niet dat hij homo was en hem wel zag zitten, ik bedoel dat hij echt om hem gaf als een vriend. En Marco had hetzelfde bij hem. Zo'n vriendschap zie je niet vaak en ik wist dat ze voor mij niet hetzelfde voelden.

Dus begonnen we ons eigen bedrijf, Marco Beleggingen. Toddie had gelijk, de klanten waren gecharmeerd van Marco en het geld stroomde binnen. Ik deed het echte werk, hield de financiële markten in de gaten en hield me bezig met de beleggingen. Het ging me goed af en we maakten veel winst. En met de drugshandel, die daar los van stond, verdienden we zelfs nog meer.

De volgende twee jaar waren fantastisch. Toddie kocht een groter en beter huis en Marco trok bij hem in. Ik kocht een appartementje een paar straten verderop.

We waren de rijkste en coolste jongelui van de stad. Alledrie hadden we een snelle wagen en we droegen kleding van de allerbeste modeontwerpers. En ieder weekend was het feesten geblazen in het huis van Toddie en Marco, met de beste drank, de beste drugs en de beste meisjes.

Het is vreemd wat geld kan doen. Ik ben helemaal niet knap, sterker nog, ik ben klein en lelijk, zoals mijn moeder altijd zegt, maar sommige meisjes willen alles voor je doen, zolang je maar geld hebt. Op die feestjes werden de meisjes niet verliefd op mij zoals op Toddie en Marco, maar ik kwam niets tekort.

Ja, dat waren fantastische jaren.

Toen verscheen Lady in ons leven.

9

Lady

De eerste keer dat ik Nadia zag, was ze naakt.

Ik ging iedere dinsdagavond naar tekenles aan de kunstacademie. Dat vertelde ik natuurlijk de anderen niet, want ik wist dat ze niet meer zouden bijkomen van het lachen. Maar ik was goed in tekenen en ik genoot van de lessen. Onze tekenleraar bracht altijd van alles voor ons mee om na te tekenen: oude flessen, botten, auto-onderdelen, noem maar op. Op een avond hadden we een naaktmodel – dat was Nadia.

Ze kwam de klas binnen, deed haar ochtendjas uit en ging op een stoel zitten met haar gezicht naar de klas. Wat was ze mooi. Ik probeerde haar na te tekenen, maar mijn handen trilden.

Ik maakte een slechte schets van haar lichaam en probeerde toen haar gezicht te tekenen. Ik zag hoe ze haar kin had opgeheven, dapper en trots, alsof ze wilde zeggen: 'Ik mag dan wel naakt zijn, maar het doet me niets.' Maar toen keek ik naar haar ogen en zag dat ze bang was. Bang en gekwetst.

Ik probeerde verder te gaan met mijn tekening, maar iedere keer moest ik weer naar haar ogen kijken. En ik had het idee alsof ik haar kende. Ik had het gevoel dat we hetzelfde waren. En ik begon een hekel te krijgen aan al die andere mensen in het lokaal. Ik wilde niet dat ze naar dit jonge meisje keken dat daar naakt zat en zo bang was.

Ik ging eerder de klas uit en liep naar de kantine beneden. Toen Nadia een half uur later binnenkwam, zat ik er nog steeds. Ze droeg versleten kleren die haar veel te groot waren, en ze leek zelfs nog jonger dan daarvoor. Ze kocht een kop thee en keek om zich heen of ze ergens kon zitten. Alle andere tafels waren bezet. Ze liep naar mijn tafel en wees naar de lege stoel tegenover me.

'Mag ik?' vroeg ze met een sterk buitenlands accent. Ik knikte.

Ze ging zitten en keek me recht aan. 'Jij daar ook voor tekenen. Ik heb gezien,' zei ze. 'Waarom jij weg?'

'Ik... ik... ik had met je te doen.'

'Sorry?'

'Ja, ik bedoel, hoe oud ben je?' vroeg ik.

'Negentien.'

'Dan ben je jonger dan ik. Je bent jong, je bent knap. Je moet dat soort dingen niet doen...'

Ik zag even wat ergernis in haar blik en ik dacht dat ze zou opstaan en weggaan, maar ze nam nog een slokje van haar thee.

'Ik heb geld nodig,' zei ze. Het klonk als *kelt*. 'Ik doe geen slecht dingen.'

'Nee,' zei ik, 'maar...'

'Ik kom uit Rusland. Mijn moeder en zus ook. Wij willen hier blijven. Mijn moeder is ziek. Mijn zus is klein. Ik moet werk hebben. Is moeilijk. Dus ik heb dit.'

Ze nam nog een slokje van haar thee en ik zag haar naar de zak chips kijken die op tafel lag.

'Heb je honger?' vroeg ik.

Ze knikte.

Ik gaf haar de chips en ging toen naar het buffet om een hamburgerschotel voor haar te halen. Ze at snel en schraapte haar bord leeg.

'Dank je,' zei ze toen ze alles op had. Ze boog zich over de tafel en legde haar hand op de mijne. 'Jij bent aardig man.' Ze haalde haar hand weg en ik wilde dat ze me weer aanraakte.

'Wil je een fatsoenlijke maaltijd? Morgen?' vroeg ik. 'We kunnen uit eten gaan.'

Ze zei ja.

We zagen elkaar de volgende dag weer. En de dag daarna. En de dag daarna weer.

Ik was verliefd. Helemaal tot over mijn oren verliefd. En je kent het gezegde: liefde is blind. Ik was blind. Ik zag alleen Nadia maar. Haar lange, zwarte haren. Die heldere groene ogen. Die open glimlach. Mijn Lady. Zo noemde ik haar: Lady.

Lady kwam bij me wonen.

'Hoe moet het nu met je moeder en je zus?' vroeg ik op de dag dat ze bij me introk.

Lady wendde haar blik af.

'Waar wonen ze? Weten ze dat je hier bent?'

Lady sloeg haar ogen neer. En ik wist dat er geen moeder of zus was. Ze had tegen me gelogen. En iedere keer als ze het over haar leven in Rusland had, was het verhaal weer anders. De ene keer vertelde ze me dat ze met haar vader en moeder in een stad had gewoond, de andere keer dat ze door haar grootmoeder was opgevoed en in een dorpje had gewoond.

Die leugens deden me niet zoveel. Ze had een zwaar leven gehad, misschien loog ze om te overleven. Ik hield van haar en daar ging het om. Ze was niet als die andere grieten van die feestjes die me alleen maar zagen zitten vanwege mijn geld. Lady wilde mij, ze had me nodig.

Drie maanden lang waren het alleen zij en ik. We kwamen nauwelijks ergens. Ik vond het heerlijk om thuis te komen in de wetenschap dat zij er was. Ik vond het heerlijk om voor haar te koken. Ik vond het heerlijk om samen met haar naar de televisie te kijken. En ik vond het heerlijk om de volgende morgen wakker te worden met haar naast me.

Toen, idioot die ik was, stelde ik haar voor aan Toddie.

10

Een domme fout

Het was mijn eigen schuld. Ik wilde met Lady pronken. Ik wilde dat Toddie en de anderen zagen wat een knappe vriendin ik had. Ik nam haar mee naar een van zijn beruchte feestjes.

Marco was er die avond niet, hij was het weekend weg. Maar Toddie was er wel en je had zijn gezicht moeten zien toen ik met Lady binnenkwam.

'Dag schat,' zei Toddie, terwijl hij haar naar zich toe trok toen hij haar een hand gaf. 'Hoe heet je?'

'Nadia. Maar Perry noemt me Lady,' zei ze lachend en ietwat opgelaten toen hij haar hand bleef vasthouden.

'Echt? Wat is hij romantisch, hè?' zei Toddie. 'Nou, veel plezier. Ik zie jullie straks nog wel.'

Lady en ik wilden weglopen, maar hij trok me bij mijn arm terug.

'Achterbakse klootzak! Waar heb je haar opgeduikeld?' fluisterde hij. 'Prachtige benen. En wat een kontje!'

Ik trok mijn arm terug en hij moest lachen om mijn boosheid. 'Het was maar een grapje, kerel!'

Het huis zat stampvol en ik slaagde erin de hele avond Lady bij Toddie vandaan te houden. Rond middernacht besloot ik weg te gaan en hoopte het huis uit te kunnen zonder door hem gezien te worden, maar bij de voordeur haalde hij ons in.

'Gaan jullie al?' zei hij en greep Lady bij de hand. 'We hebben niet eens de kans gehad om even te praten. Maar er blijft nog tijd genoeg over om elkaar te leren kennen.'

Hij gaf haar een knipoog en kuste haar hand. Ik zag dat hij even in haar huid beet. Ze bloosde en keek me aan.

'Laat dat, Toddie!' zei ik.

'Ik ben alleen maar beleefd,' zei hij lachend.

Ik trok Lady's hand uit de zijne en even zag ik weer die vreemde blik in zijn ogen. Toen lachte hij weer en deed de deur open om ons uit te laten.

'Tot gauw,' riep hij nog, toen we het pad afliepen.

Ik wist dat ik haar nooit mee had moeten nemen. Ik had een domme fout gemaakt.

11

Samsam

De volgende dag kwam Toddie bij mij langs. Ik was ervan overtuigd dat hij alleen kwam om Lady te zien, maar toen we de huiskamer inliepen, knipte hij met zijn vingers naar haar.

'Jij daar, zet die televisie uit en maak dat je wegkomt. Ik wil Perry spreken, onder vier ogen,' beval hij.

Lady keek me aan. Ik knikte en ze verliet de kamer.

'Ik heb een idee,' zei Toddie toen we alleen waren. 'Ik heb je advies nodig.'

Ik voelde me gestreeld en toen hij mij zijn plan vertelde om de drugshandel in het nabijgelegen Morford over te nemen, luisterde ik aandachtig.

'De broertjes Kelly zitten daar nu. Krijgen we daar dan geen last mee?' vroeg ik.

'Dat zit er dik in. Maar ik heb de grote jongens in Essex achter me staan.'

'Ja, dat kan best, maar als de Kelly's nu eens echt vervelend gaan doen...'

'Dan zal ik nog vervelender moeten gaan doen, niet dan?' Toddie lachte.

De volgende avond kwam hij weer. En weer stuurde hij Lady de kamer uit en weer kwam hij met zijn plan op de proppen om de Kelly's te verjagen. Maar deze keer bleef hij langer en na een tijdje riep hij Lady terug. 'Sorry dat ik je steeds maar wegstuur, schat,' zei hij lachend. 'Maar het ging over zaken en daar wilden we je niet mee vervelen. Kom naast me zitten. Ik bijt echt niet, dat beloof ik.'

Lady ging op de bank naast hem zitten.

'Zo, je hebt het hier aardig opgeknapt,' zei hij. 'Het was een behoorlijke troep toen Perry hier nog in zijn eentje zat. Hij is een luie donder, ik snap niet hoe je het bij hem uithoudt.'

Ik zat daar met mijn mond vol tanden, terwijl hij bijna een uur lang met Lady grappen zat te maken en zat te lachen.

'Toddie, alsjeblief niet doen,' fluisterde ik bij de voordeur toen hij wegging.

'Wat niet doen?' vroeg hij.

'Dat weet je best. Lady is van mij.'

'We zijn vrienden. We doen alles samsam,' zei hij grinnikend.

'Alsjeblief, niet doen,' zei ik.

'Maak je geen zorgen, ik maak maar een grap,' zei hij, en kneep in mijn arm.

Maar de volgende avond was hij er weer. En de avond daarna. Hij had mijn advies helemaal niet nodig gehad. Het was gewoon een smoes en nou deed hij niet eens de moeite meer om een smoesje te verzinnen.

Lady begon zich koeltjes tegenover hem te gedragen. 'Hij is wrede man,' zei ze tegen me na zijn eerste bezoek. 'Hij speelt met je.'

'Hij is mijn vriend.'

'Ik mag hem niet,' zei ze.

Maar avond na avond zag ik dat ze steeds meer

begon te zwichten voor zijn getiranniseer. Wat kon ik doen? Hij was groot en sterk en machtig en ik niet. Op een avond stond ik naast Toddie en zag dat Lady naar ons keek. En ineens zag ik mezelf door haar ogen: zo klein en zwak en lelijk vergeleken bij hem.

Zij betekende alles voor me. En ik wilde alles voor haar zijn. Stomme idioot! Hoe kan een knap meisje als Lady nu ooit van iemand zoals ik houden. Het brak mijn hart.

Toen begon het gedonder met de Kelly's en hadden we geen tijd meer voor iets anders.

12

Het is oorlog

De Kelly's sloegen een van onze dealers in Morford in elkaar. Ze lieten hem vastgebonden achter bij Toddies huis, met een briefje op zijn met bloed besmeurde trui. Op het briefje stond: 'Handen af van Morford'.

Een week later werd een andere van onze dealers uit Morford bij Toddie voor de deur uit een rijdende auto gegooid. Hij leefde nog, maar daar was dan ook alles mee gezegd.

Toddie huurde nog twee dealers in en stuurde hen naar Morford. Allebei werden ze in elkaar geslagen.

'Willen ze oorlog, dan kunnen ze dat krijgen,' zei Toddie.

De volgende avond kwam hij weer naar mijn appartement. Hij knipte met zijn vingers naar Lady en stuurde haar de kamer uit. Ik zag dat ze van streek was, maar ze ging toch.

'Luister,' zei Toddie. 'Ik ga een paar maanden naar Spanje.'

'Waarom?'

'Ik huur een paar mannetjes in om de Kelly's een lesje te leren en ik wil niet in de buurt zijn als dat gebeurt. Op die manier kan namelijk niemand mij de schuld geven. Hou je dus gedeisd en zorg ervoor dat Marco er niet achter komt wat er aan de hand is. Ik vertrouw je.'

De volgende dag vertrok Toddie met het vliegtuig naar Spanje. Lady huilde toen ze hoorde dat hij weg was. Drie weken later werden de twee broertjes Kelly dood in hun auto aangetroffen. Iemand had hen naar een stille straat ergens buiten Morford gelokt en een kogel door hun hoofd gejaagd. Toddie had wraak genomen.

Vanaf het moment dat Toddie naar Spanje was vertrokken, deed ik alles om Lady voor me terug te winnen. Ik kocht bloemen en cadeautjes voor haar en nam haar mee naar de beste restaurants.

Op een weekend nam ik haar mee naar Londen. We logeerden in een eersteklas hotel en gingen naar de duurste en beste kledingzaken.

'Je bent een goede man, Perry. Je koopt zoveel voor me,' zei ze toen we die avond in bed lagen.

'Ik wil je alleen maar laten zien hoeveel ik van je hou,' fluisterde ik.

'Dat kun je ook. Dat kun je me laten zien. Je kunt paspoort voor me kopen.'

'Een paspoort?'

'Ja. Dat is grootste wens. Kan dat?' vroeg ze.

'Natuurlijk. Alles is mogelijk. Maar waarom?'

'Ik ben illegaal hier, ze kunnen me terugsturen. Ik wil Engels zijn. Heel slechte dingen met mij in Rusland gebeurd. Ik wil hier bij jou blijven. Bij jou voel ik me veilig, Perry. Jij maakt me gelukkig.'

Ik drukte haar zo stevig tegen me aan dat ze mijn tranen van geluk niet kon zien. En ik beloofde dat ik voor haar een paspoort zou regelen, het beste valse paspoort dat er te koop was.

Ik belde wat connecties en een paar weken later kwam het paspoort binnen.

'Zie je welke naam erop staat?' zei ik, terwijl ik het

haar liet zien. 'Mevrouw Nadia Grant. Het is net of we getrouwd zijn.'

'Nu ben ik dus Engelse,' zei ze. 'Niemand kan me nog terug naar Rusland sturen. Ik heb paspoort. Kan ik overal naartoe?'

'Overal ter wereld.'

Toen ik drie weken later thuiskwam van mijn werk was de flat leeg. Haar kleren waren uit de kast verdwenen. Haar make-up en spulletjes lagen niet meer in de badkamer. Er lag een groot vel papier op bed. Er stond slechts één woord op: 'Sorry'. Eén woord en drie kruisjes. Het laatste kruisje was uitgelopen, alsof ze had gehuild toen ze het schreef.

Ik belde het plaatselijke taxibedrijf en kwam erachter dat ze naar het vliegveld was gegaan. Ik belde naar alle vliegtuigmaatschappijen en ontdekte wat ik eigenlijk al vermoedde, een passagier met de naam mevrouw Nadia Grant had de avondvlucht naar Spanje genomen.

13

Het echte smerige spul

Iedere week belde Toddie me vanuit Spanje. Slechts één keer noemde ik Lady's naam. Ik moest weten of ze veilig was. 'Is ze daar, Toddie? Is alles goed met haar?'

'Natuurlijk is alles goed met haar. Ze is bij mij. De beste heeft gewonnen. Je bent toch zeker niet boos?'

We hadden het nooit meer over haar. Als hij belde had hij het over het weer en ik vertelde hem hoe de zaken gingen. Op een keer vertelde ik hem dat Marco Beleggingen net een bezoekje van de politie had gehad. 'Ze hadden wat vragen over jou en over de Kelly's,' vertelde ik hem.

'Wat heb je gezegd?'

'Dat ik nog nooit van de broertjes Kelly had gehoord. En dat jij al drie maanden in Spanje zit.'

'Goed zo. Denk je dat ze nog terugkomen?'

'Nee, ze hebben geen poot om op te staan, en dat weten ze.'

Wat ik hem niet had verteld was dat Marco helemaal overstuur was geweest door het bezoek van de politie.

Die arme Marco. Hij was zo eerlijk en onschuldig. Toddie was nog steeds zijn grote held en Toddie kon niets verkeerd bij hem doen. Marco wist uiteraard wel dat we in de drugshandel zaten, dat hadden we niet verborgen kunnen houden. Maar Toddie had gelogen en had gezegd dat het alleen om cannabis ging.

'Je kent me toch, Marco,' had Toddie gezegd. 'Ik zou nooit harddrugs verkopen.'

Marco had dan ook geen flauw idee van de echt smerige handel waar we in zaten – de junkies, de bedreigingen, de omkopingen, de afrekeningen, de overdoses, de doden.

Ik was zo gekwetst en boos over wat Lady me had geflikt, dat ik hem bijna had verteld hoe Toddie echt in elkaar zat. Dat ik hem bijna had verteld wat zijn held met de Kelly's had gedaan. En hem ook bijna had verteld waar het geld van Marco Beleggingen vandaan kwam.

Maar ik wist wat er zou gebeuren als ik dat deed. Marco zou vertrekken. En Toddie zou het me nooit vergeven. Dus zei ik niets. Het was vreemd. Een deel van me haatte Toddie, maar een ander deel van me had hem nodig, wilde nog steeds zijn vriend zijn.

Op een avond kwam Marco bij me langs. Ik had te veel gedronken en begon over Lady te praten. Ik miste haar verschrikkelijk en ineens kwam alle verdriet eruit. Plotseling stortte ik helemaal in en begon te huilen.

'Ik heb een idee,' zei Marco die me probeerde op te vrolijken. 'Kom met mij mee en blijf logeren tot Toddie terug is. Je wordt helemaal gek als je hier in je eentje blijft zitten.'

Ik nam zijn aanbod aan. Ik bleef ruim twee maanden bij hem logeren en we konden het goed met elkaar vinden. We hadden het overal over. Ik vertelde hem dingen over mezelf die ik nog nooit aan iemand had verteld. Dingen over Lady, de manier waarop mijn moeder me behandelde. Ik vertelde hem zelfs dat ik over mijn vader droomde.

En ook Marco vertelde me dingen over zichzelf. Zoals dat hij graag de plaats wilde bezoeken waar zijn ouders met het vliegtuig waren neergestort en dat hij op een dag weg wilde bij Marco Beleggingen om naar de universiteit te gaan. We kletsten en lachten en wisselden geheimen uit als echte vrienden. En ik voelde me meer met hem verbonden dan ooit.

Toen kwamen Toddie en Lady uit Spanje terug.

Ik keerde terug naar mijn eenzame flatje. Avond na avond zat ik daar in mijn eentje te piekeren over Toddie. Het was niet eerlijk. Hij had alles: mijn vriendin en mijn beste vriend.

14

Hij vermoordt me!

Toddie heeft nooit gezegd dat het hem speet van Lady – nooit. De eerste keer dat ik hen zag nadat ze terug waren, maakte hij er zelfs grapjes over.

'Perry, dit is Lady... Oei, ik vergat dat jullie elkaar al kenden!'

Lady kreeg een kleur en hield haar blik strak op de grond gericht. Ze zag er mager en bleek uit, niet als iemand die net uit het zonnige Spanje was teruggekeerd.

Toen ik wegging, keek Lady me eindelijk aan. Het was een vluchtige blik, maar ik zag droefheid in haar ogen. Mijn hart sloeg over en ik vroeg me af of die trieste blik kwam omdat ze me miste.

'Niet doen, Perry,' sprak ik mezelf toe. 'Laat je niet weer kwetsen. Je bent eroverheen. Zet haar uit je hoofd.'

Maar ik was niet eerlijk tegen mezelf. Ik was er nog niet overheen. Ik kon haar niet vergeten.

Ik bleef hopen dat ze me zou bellen of schrijven. Ik wist dat ik mezelf voor de gek hield, maar ik kon niet anders. *Misschien komt ze bij me terug. Misschien komt ze bij me terug.*

Maanden en maanden gingen voorbij. Ik bleef voor Toddie werken en liet nooit merken hoe ik me voelde.

Ik praatte en lachte. Ik leefde mijn eigen leven en dat was dat.

Beetje bij beetje begon mijn hoop te vervagen. Maar op een avond werd er op mijn deur geklopt en stond Lady daar. Ze zag er bang en ziek uit.

'Zeg niet tegen Toddie dat ik hier ben geweest,' smeekte ze.

'Goed,' zei ik.

Toen ze op de bank ging zitten, vulden haar ogen zich met tranen. Ik ging naast haar zitten en hield haar stevig vast toen ze huilde.

'O, Perry... waarom toch? Waarom ik bij je weg-gegaan?' zei ze tussen twee snikken in. 'Ik ben een idioot. Vermoord me, vermoord me. Ik ben een idioot.'

'Stil maar, het is al goed, het is al goed,' zei ik. 'Je mag terugkomen.'

'Nee, dat kan niet,' zei ze snikkend. 'Toddie zal me terughalen. En... ik heb hem nodig.'

Ze liet haar arm zien en ik zag de littekens en blauwe plekken waar de naald had gezeten.

Toddie had haar dit aangedaan. Ik had het al eerder gezien, bij andere meisjes. Ik heb me wel eens afge-vraagd of dat soms zijn manier was om meisjes aan zich te binden, door ze verslaafd te maken aan drugs. Maar hoe kon hij dit met Lady hebben gedaan? Met mijn Lady?

Ik kookte van woede. Ik zou hem wel krijgen. Dit zou ik hem betaald zetten.

'Wat is het, heroïne?' vroeg ik.

Ze knikte.

'Hoe lang al?'

'Sinds ik naar Spanje ben gegaan.'

'Je kunt ervan af raken.'

'Nee, ik heb het nodig, Perry,' zei ze.

'Je kunt ervan af raken, dat beloof ik je. Ik zal je helpen. Ik zal zorgen dat je in een afkickcentrum terecht kunt.'

'Toddie zal me niet laten gaan. Dat weet ik,' zei ze.

'Hij zal je niet kunnen tegenhouden. Geef me een paar dagen de tijd. Ga naar hem terug en doe net of er niets aan de hand is. Ik krijg je wel bij hem weg en ik zal zorgen dat je van de drugs af komt, dat beloof ik je.'

Ik hield Lady vast tot ze niet meer huilde. Toen bracht ik haar terug naar Toddies huis.

Ik stopte aan het einde van de straat zodat niemand ons zou zien. 'Alles komt goed,' zei ik, terwijl ik haar hand pakte toen ze uit de auto stapte. 'Dat beloof ik.'

Ze knikte. Ik kuste haar vingers en liet haar gaan.

Ik reed terug naar mijn flat en begon plannen te maken.

15

Boontje komt om zijn loontje

Ik was geduldig. Ik dwong mezelf niets overhaast te doen.

Het enige wat ik wilde, was Lady daar weghalen, ver weg zodat Toddie haar nooit meer te pakken zou krijgen. Maar ik moest slim zijn en het juiste moment afwachten.

Uiteindelijk was het zover. Toddie ging naar Londen voor een vergadering met die mannen uit Essex. Die ochtend zat ik in mijn auto bij zijn huis te wachten. Ik zag hem wegrijden en wachtte tot Marco naar zijn werk vertrok.

'Pak je spullen,' zei ik tegen Lady toen ik het huis in rende.

'Waarom? Waar gaan we heen?'

'We gaan hier weg, voorgoed. Ik heb een plaatsje in een afkickcentrum voor je geregeld.'

'Perry, ik weet het niet... als Toddie me vindt...'

'Dat gebeurt niet,' zei ik. 'Kom, opschieten nu.'

We pakten vlug alles in en zetten haar tassen in de auto.

'Nog even kijken of ik niets ben vergeten,' zei Lady.

Terwijl ik in de auto bleef wachten en hoopte dat Toddie of Marco niet plotseling zouden terugkomen, ging zij het huis weer in.

Naarmate de minuten verstreken, werd ik steeds zenuwachtiger. 'Vooruit Lady, schiet op,' riep ik toen ik het huis weer binnenging.

Ik vond haar in de badkamer. Op haar knieën zat ze over het bad gebogen met een spuit in haar hand.

'Nee, Perry, alsjeblief,' zei ze toen ik de spuit weg-griste. 'Nog één keer! De laatste. Alsjeblief!'

'Nee! Niet meer. Je gaat nu stoppen,' riep ik.

Het afkickcentrum was 130 kilometer rijden en ze huilde de hele weg. Toen we er aankwamen, smeekte ze me om bij haar te blijven. Mijn hart brak om haar zo te zien, maar ik kon er niet anders over gaan denken omdat ze nu huilde.

'Ik kom zo vaak op bezoek als ik kan,' beloofde ik. 'Je moet sterk zijn. Ik hou van je, Lady.'

's Avonds laat kreeg ik een telefoontje van Toddie. Hij was net terug uit Londen.

'Perry, heb je enig idee waar Lady is?'

'Nee, waarom?'

'Ze is er niet. En al haar spullen zijn weg. Waar is ze verdomme gebleven?'

Ik hoorde het verdriet en de woede in zijn stem en wilde lachen. Eindelijk! Boontje komt om zijn loontje. Nu wist hij eens hoe ik me voelde.

'Misschien is ze er met iemand vandoor,' wreef ik het er nog eens in. 'Je weet hoe ze is.'

De volgende dag kwam Toddie op het kantoor van Marco Beleggingen. Hij had kringen onder zijn ogen en het was duidelijk dat hij niet had geslapen.

'Ik vind het echt klote voor je, kerel,' zei ik en sloeg mijn arm om zijn schouder. 'Ik heb iedereen gebeld en ze zullen allemaal naar haar uitkijken. We vinden haar wel.'

'Denk je?'

'Ja, zeker, maak je maar geen zorgen.'

Elke dag zei ik dat Toddie zich geen zorgen moest maken. Ik speelde mijn rol goed. Elke dag deed ik net of ik hem op wilde monteren. Ik was immers Perry, de beste kameraad, en ik probeerde mijn vriend te helpen.

En elke avond reed ik 130 kilometer naar het afkickcentrum om Lady te zien. De eerste weken waren een pure hel voor haar. Ze zag bleek en trilde, ze huilde de hele tijd en vertelde me dat ze het liefst dood wilde zijn.

Toen begon alles ineens wat beter te gaan. Lady's ogen werden helderder, haar stem krachtiger. Ze had weer kleur op haar wangen en begon weer hoop te krijgen. Ze was aan de beterende hand.

Maar terwijl het beter met haar ging, ging het steeds slechter met Toddie.

'Waarom toch? Waarom?' bleef hij maar vragen. 'Waarom is ze bij me weggegaan?'

Hij at nauwelijks meer. Hij dronk en rookte te veel. Hij nam pillen omdat hij anders niet kon slapen. En hij nam pillen om weer wakker te worden.

Ik kende de pijn die hij doormaakte. En het deed me goed. Ik wilde dat hij leed, net zoals ik had geleden. Zoals hij Lady had laten lijden.

En iedere dag hield ik dat verdriet in stand door te zeggen: 'Maak je maar geen zorgen, maat. Ze komt wel terug.'

Eindelijk was Lady zover dat ze het afkickcentrum mocht verlaten.

'Nog een paar dagen en dan mag je hier weg,' vertelde ik haar. 'Ik heb een huisje voor je gehuurd. Ergens achteraf. Lekker rustig. Je zult het er heerlijk vinden.'

'Ben jij daar dan ook?'

'Niet altijd, want dan komt Toddie erachter.'

'Ik ben bang, Perry. Bang dat ik weer begin. Ik vertrouw mezelf niet als ik alleen ben.'

'Je zult niet alleen zijn,' zei ik. 'Ik heb overal rekening mee gehouden.'

O ja, ik was zo slim. Ik dacht dat ik alles had geregeld.

Maar dat had ik niet.

16

Hij deugt niet

'Toen Lady is weggegaan, ben ik alles kwijtgeraakt. Alles,' zei Toddie iedere keer tegen me.

En iedere keer dat hij het zei, dacht ik. *Nee, niet alles. Nog niet. Maar dat gaat wel gebeuren.*

Twee dagen voordat Lady uit de kliniek zou worden ontslagen, vertelde ik Marco de waarheid over Toddie. We waren alleen op kantoor en Marco vertelde hoe ongelukkig Toddie zich voelde zonder Lady.

'Ik weet waar ze is,' zei ik. 'Ik heb haar geholpen om weg te gaan.'

'Wat?' zei Marco, en hij keek me geschokt aan. 'Waarom?'

'Omdat ze hem haat en doodsbang voor hem is. En omdat hij haar heroïne geeft.'

'Dat heeft er niets mee te maken,' zei Marco. 'Toddie kan er niets aan doen dat ze aan de drugs zit.'

'Dat kan hij wel, Marco. Je snapt het nog steeds niet, hè? Ze was niet gelukkig in Spanje. Ze wilde naar huis. En door haar afhankelijk van heroïne te maken wist hij dat ze niet bij hem weg kon.'

'Dat is een leugen!' riep Marco.

'Je bent blind, Marco. Je wilt het niet zien. Je denkt dat Toddie een god is, nou, dat is hij niet.'

En ik vertelde hem alles. Over de drugs. Over de moorden.

Marco vond het niet prettig. Hij wilde het niet geloven. Maar ik had bewijzen – dagboeken, bankafschriften, brieven – en ik liet hem die zien.

Lange tijd bleef hij gewoon zitten zonder iets te zeggen. Toen balde hij woest zijn vuisten.

'Je hebt het mis, ik ben niet blind. Ik heb het al die tijd geweten, echt waar, diep van binnen. Ik wilde het alleen niet zien. O god, hoe kon ik zo verdomd stom zijn? Wat moet ik nu doen, Perry? Hij deugt niet. Ik kan niet meer voor hem werken... onder hetzelfde dak als hij wonen...'

En toen heb ik hem over het huisje op het platteland verteld en dat ik iemand nodig had om voor Lady te zorgen. Ik gaf hem een plattegrond en de sleutels. Hij ging terug naar huis, pakte zijn spullen, schreef een briefje aan Toddie, en ging.

Toen Toddie het briefje vond, liet hij het me zien. Het enige wat erop stond was: 'Ik weet van de broers Kelly. Ik weet van de drugs. Je ziet me niet meer.'

'Hoe is hij erachter gekomen? Wie heeft het hem verteld?' schreeuwde Toddie naar me.

Ik had mijn leugentje al klaar. 'Ik zou het niet weten,' zei ik. 'De flikken misschien. Ze zijn een paar keer langs geweest met vragen. Misschien heeft Marco gewoon één en één bij elkaar opgeteld.'

Toddie geloofde me. 'Ik vermoord hem!' zei hij woest. 'Hij kan niet zomaar weglopen zonder iets tegen me te zeggen. Dat kan hij niet maken.'

En deze keer deed het hem echt wat. Hij had zijn vriendin en nu ook zijn beste vriend verloren. Hij liet zich bij mij op de bank vallen en zat met zijn hoofd in zijn handen.

Ik keek op hem neer en glimlachte. Ik had gewonnen. Toddie was de grote man niet meer. Hij was gebroken.

17

Dolgelukkig

Wat een ommekeer. Ik voelde me heerlijk. Ik had nu alles wat Toddie wilde – ik had Lady en Marco – en hij wist het niet eens.

Door de week woonde ik in de stad en runde Marco Beleggingen in mijn eentje. Op vrijdagavond reed ik naar het platteland om het weekend bij Lady en Marco door te brengen.

'Waar ga je iedere vrijdag toch naartoe?' vroeg Toddie.

'Naar mijn vader,' loog ik vlug.

'Je vader?'

'Ja, we zien elkaar weer. En we kunnen het goed met elkaar vinden.'

'Moet je eens horen, Perry, ik heb zo eens zitten denken. Ik zit wat te vereenzamen... Wat ik eigenlijk wil zeggen is, zou je er nog steeds iets voor voelen om bij mij in te trekken? Dat zou een dolle boel worden.'

Toddie was ervan overtuigd dat ik ja zou zeggen, ik zag het aan zijn ogen. Ik nam dus mijn tijd en liet hem wachten.

Toen sloeg ik toe. 'Dat is heel aardig van je, maar toch maar niet. Ik ben te veel aan mijn flatje gehecht.'

Zijn gezicht betrok en ik wilde lachen. Hij was zijn vriendin en zijn beste vriend kwijt, en nu kon hij mij ook al niet krijgen!

De weekends op het platteland met Lady vormden de beste tijd die ik ooit heb meegemaakt. Gewoon gezellig met z'n drieën. We gingen barbecuen, maakten wandelingen. We luisterden naar muziek of zaten te praten. We waren gelukkig samen.

Lady was weer helemaal zichzelf, ze lachte weer en zag er weer even goed uit als toen ik haar voor het eerst zag. En Marco bruiste helemaal. Hij was weer gaan lezen en hij had besloten zich in te schrijven voor de universiteit.

'Ik ben immers nog niet te oud,' zei hij.

'Ja, dat ben je wel,' zei Lady lachend. 'Perry en jij zijn al oude mannen – 22! En ik ben nog maar twintig.'

'Volgende maand 21,' zei ik, terwijl ik mijn arm om haar heen sloeg. 'Al bijna een omaatje.'

Ze lachte weer en kuste me op mijn wang.

Wat hield ik van haar.

Een coverversie van 'Liefde is het antwoord' stond die zomer hoog op de hitlijsten en ik kocht het voor haar. We zongen het de hele dag door en de tekst omschreef precies wat ik voelde:

Waarom voel ik me zo gelukkig?
Liefde, ja liefde is het antwoord.
Een jongen en een meisje, meer is er niet voor nodig.
Liefde, ja liefde is het antwoord.

Waarom ik me zo gelukkig voelde? Lady was het antwoord.

Lady's 21ste verjaardag viel op een donderdag. Ik belde haar om haar te feliciteren.

'Hallo,' zei ze. 'Marco maakt net een fles champagne open. Was je maar hier.'

'Nou, dan maken we er morgen nog een open als ik je mijn cadeautje geef. Maak er een fijne avond van.'

Toen ik de telefoon neerlegde, wilde ik plotseling niet tot morgen wachten. Ik wilde nu bij haar zijn.

Ik stapte in mijn auto en reed hard. Het duurde iets meer dan een uur voordat ik er was, maar ik kon alleen maar denken hoe verbaasd Lady zou zijn. Ik zou haar het cadeautje geven. Maar dat was niet het enige. Ik had een ring gekocht en zou haar vragen of ze met me wilde trouwen.

Het was al bijna donker toen ik er aankwam, maar het was nog warm buiten. Het licht in de huiskamer brandde en het raam stond open. Ze luisterden naar 'Liefde is het antwoord'. Ik keek door het raam naar binnen en zag hen.

Marco en Lady waren aan het dansen. Met de armen om elkaar heen. Intiem. Erg intiem.

Terwijl ik stond toe te kijken, hief Lady haar gezicht naar Marco op en Marco boog zich voorover en kuste haar lippen. Hun monden waren geopend, hun lichamen dicht tegen elkaar. Toen pakte Marco Lady's hand en trok haar mee naar de trap. Even later ging in Marco's slaapkamer het licht aan.

Ik rende naar de auto en reed weg. Kilometers reed ik, maar zonder te weten waarheen ik ging. Toen stopte ik en belde Toddie.

'Ik heb haar gevonden,' zei ik. 'Ik heb Lady gevonden.'

'Waar?'

'Ze zit bij Marco, Toddie. Ze heeft je in de steek gelaten voor Marco.'

18

De schietpartij

Ik zal er niet omheen draaien. Geen smoesjes verzinnen. Ik wist precies wat ik deed toen ik Toddie belde.
Ik wist precies hoe hij zou reageren. Ik wist ook precies wat hij zou doen.

Ik wachtte hem op toen hij de snelweg afreed en
zag die vreemde blik in zijn ogen. Hij volgde me naar
het huis. We zetten onze wagens een stukje van het
huis weg zodat ze ons niet zouden horen aankomen.

Ik had de sleutel van het huis, maar ik wilde niet
dat Toddie dat wist. Ik gebruikte mijn creditcard om
de voordeur van het slot te halen. Stil liepen we de

trap op naar boven. Ik wees naar Marco's deur en Toddie opende die. Door het raam viel het maanlicht op het bed.

Marco en Lady lagen in elkaar verstrengeld. Even stonden we naar hen te kijken. Het leek een sprookje. Prachtig. Ze waren zo verliefd.

Ik haatte hen.

Toddie deed het licht aan en trok de dekens terug. Ze waren allebei naakt en toen ze wakker werden probeerden ze de dekens terug te trekken om zich te bedekken.

'Sta op!' beval Toddie, terwijl hij zijn wapen op hen gericht hield.

Ze stonden op, pakten hun badjas en deden die aan.

'Luister, Toddie...' begon Marco.

'Kop dicht,' beval Toddie. 'Naar beneden, allebei.'

Langzaam, heel langzaam liepen ze de trap af en gingen de huiskamer in. Toddie liet hen op de bank plaatsnemen. Hij ging in een stoel zitten en keek hen alleen maar aan.

'Toddie, alsjeblief, we zijn familie...' zei Marco, maar hij hield op met praten toen Toddie zijn wapen richtte.

Er volgde een lange stilte en het was alsof mijn hart het begaf. Ik haatte hen allebei. Marco en Lady. Ik haatte hen, maar ik hield ook van hen. En ik was hen aan het vermoorden.

'Jij hebt het gedaan, Perry,' zei Lady. 'Jij hebt het hem verteld.'

De blik op haar gezicht vervulde me met schaamte. 'Laat haar gaan,' zei ik tegen Toddie. 'Laat Lady gaan.'

'Kop dicht!' snauwde Toddie. 'Ze is van mij. Ik beslis wat er met haar gebeurt.'

'Nee!' gilde Lady. 'Ik ben niet van jou. Ik ben je bezit niet.'

Tergend langzaam pakte ze toen Marco's hand, bracht die naar haar lippen en kuste die.

'Laat dat!' riep Toddie.

Maar Lady kuste Marco's hand weer. 'Ik hou van hem,' zei ze. En glimlachte.

Toen schoot Toddie.

Het eerste schot sloeg een gat in Marco's keel. Het tweede schot raakte hem in de borst. Hij zakte opzij.

'Marco!' gilde Lady en ze sloeg haar armen om hem heen en trok hem omhoog.

Marco kreunde en het geluid kwam uit het gat in

zijn keel. Hij hoestte toen zijn longen zich met bloed
vulden. Zijn benen trokken en schokten, maar Lady
hield hem vast.

Marco snakte naar adem en vocht om aan lucht te
komen. Bloed borrelde uit zijn keel en ineens bewoog
hij niet meer. Maar Lady hield hem nog steeds vast.
Ze wiegde hem en ging met haar handen door zijn
donkere krullen.

'Hij is dood,' grauwde Toddie. 'Hij is dood, Lady.
En nu ben je van mij.'

'Nee, dat ben ik niet,' zei ze. 'Ik ben van niemand.'
Ze boog zich voorover en kuste Marco's gezicht, toen
keek ze ons koeltjes aan. 'Ik hou van hem,' zei Lady.
'Ik hou van hem. En ik kan op jullie wel spugen. Op
jullie allebei.'

Toddie hief zijn wapen.

'Nee, niet doen!' schreeuwde ik.

Toddie schoot.

Lady sprong op alsof ze schrok en zat toen stil. Ik
dacht dat hij gemist had. Toen zag ik een grote vlek
op haar badjas verschijnen. Hij had haar in het hart
geschoten.

Lady's ogen stonden wijd open en uitdrukkingloos.
En het leek of ze me recht aankeken.

Ik rende het huis uit, het grasveld op en viel op mijn knieën. Ik keek op naar de donkere, nachtelijke lucht. Talloze sterren keken op me neer, even kil als de dode ogen van Lady. Ik kon me nergens verstoppen.

Er ging een huivering door me heen. Ik boog voorover en moest overgeven. Het zweet liep langs mijn lijf, maar ik had het ijskoud. Ik stond op en ging terug naar binnen.

Toddie was er nog, hij zat in een stoel naar Marco en Lady te kijken. Hij keek op toen ik binnenkwam. Zijn ogen waren net zo leeg en dood als die van Lady. Hij stond op. Zijn wapen viel op de grond. Langzaam, alsof hij dronken was, liep hij in de richting van de deur.

Ik keek naar Lady en er trok een felle pijnscheut door me heen. Ik raapte het wapen op. Toddie was bij de deur.

Ik wilde roepen, maar er kwam niet meer dan een fluistering uit: 'Toddie!'

Hij hoorde me en draaide zich om. Hij keek eerst naar het wapen en toen naar mij.

Hij zei niets. Maar ik zweer het, zijn ogen vertelden me wat me te doen stond. 'Ja,' leken zijn ogen te zeggen. 'Alsjeblief, doe het. Ik heb mijn familie gedood. Dood mij nu.'

Mijn vinger gleed op de trekker.

Toddie keek me glimlachend aan. Hij glimlachte en knikte. Toen kwam hij langzaam naar me toe.

Ik vuurde. Hij schokte en ging achteruit. Ik had zijn arm geraakt. Toen strompelde hij opnieuw mijn kant uit.

'Doen! Doen!' zeiden zijn ogen.

Ik vuurde nog een keer. En nog een keer.

De schoten troffen hem in zijn borst en hij viel achterover.

Het duurde lang voordat hij zijn laatste adem uitblies. Het was een lange, pijnlijke strijd. Ik zat op de grond en hield hem in mijn armen. Hij beefde van de pijn.

'O god, Toddie, het spijt me,' zei ik. 'Ga alsjeblief niet dood. Ik ga een dokter bellen.'

Hij schudde zijn hoofd en sloot zijn ogen. Hij lag lange tijd stil en ik dacht dat hij dood was. Toen bewoog zijn mond. Hij probeerde iets te zeggen.

Ik bracht mijn oor naar zijn lippen. De woorden klonken zacht als de wind door de bomen.

'Veeg... het wapen schoon... stop het... in Marco's hand. Vingerafdrukken.'

Ik kneep in zijn hand als teken dat ik hem had begrepen.

Toen klonk er nog een laatste woord, zacht en rustig als een zucht.

'Vriend.'

Zijn lichaam werd zwaar in mijn armen. Hij was dood.

19

Het verhaal

Ik reed terug naar mijn appartement. Ik sliep een paar uur, stond toen op en verbrandde al mijn kleren waar bloed op zat, een voor een.

Zaterdagochtend kwam er een postbode bij het huis. Door het raam zag hij de lichamen liggen en belde de politie.

De politie kwam bij mij langs. Ze hadden het wapen in Marco's hand gevonden, maar Toddies vingerafdrukken zaten er ook op.

'We denken dat een van de mannen het meisje heeft vermoord. Dat er daarna een gevecht was en dat ze toen elkaar hebben neergeschoten,' vertelde de rechercheur me. 'Maar we kunnen er niet achter komen waarom.'

'Ik weet het niet,' zei ik. 'Ik werk alleen voor Marco Beleggingen. Maar...'

'Maar wat?'

'Nou, ik weet dat Marco en Toddie de laatste tijd nogal eens ruzie hadden.'

'Waarover?'

'Ik weet het niet zeker, maar ik heb het idee dat ze allebei betrokken waren bij... Nou nee, ik kan niet...'

'Vooruit,' zei de rechercheur. 'Betrokken waren bij wat?'

'Ik kan niets bewijzen, maar... Goed, ik denk dat ze betrokken waren bij de... handel in drugs, en dat Marco voor zichzelf wilde beginnen. Maar begrijp me goed, ik weet het niet zeker.'

Meer was er niet nodig. De politie wist al van Toddies drugshandel. Maar ze waren er nooit in geslaagd hem ergens op vast te pinnen. Nu leverde ik hun het bewijs. En ze wilden maar al te graag geloven dat Marco er ook bij betrokken was.

Dus werd dat het verhaal. En de krantenkop luidde: DRUGSBENDE MOORDT ELKAAR UIT.

Alleen ik kende de waarheid, de waarheid over hoe we er allemaal bij betrokken waren, Toddie en Lady en Marco en ik. We waren erbij betrokken, allemaal. Liefde is het antwoord.

Zoals het liedje zegt: *Wat maakt het leven de moeite waard? Liefde is het antwoord.*

Ik had de liefde gedood.

En het leven is niet de moeite waard.